Émilie
pleine de jouets

DONNÉES DE CATALOGAGE AVANT PUBLICATION
(CANADA)

Tibo, Gilles, 1951-
Émilie pleine de jouets
Pour enfants.

ISBN 2-89512-309-8 (rel.)
ISBN 2-89512-310-1 (br.)

I. Lafrance, Marie. II. Titre.

PS8589.I26E44 2003 jC843'.54 C2002-941882-8
PS9589.I26E44 2003
PZ23.T52Em 2003

Directrice de collection : Lucie Papineau
Direction artistique et graphisme : Primeau & Barey

Dépôt légal : 3e trimestre 2003
Bibliothèque nationale du Québec
Bibliothèque nationale du Canada

Dominique et compagnie
300, rue Arran, Saint-Lambert (Québec) J4R 1K5
Téléphone : (514) 875-0327
Télécopieur : (450) 672-5448
Courriel : dominiqueetcie@editionsheritage.com
Site Internet : www.dominiqueetcompagnie.com

Imprimé en Chine

10 9 8 7 6 5 4 3 2 1

Nous remercions le Conseil des Arts du Canada de
l'aide accordée à notre programme de publication, ainsi
que la SODEC et le ministère du Patrimoine canadien.

Gouvernement du Québec – Programme de crédit d'impôt
pour l'édition de livres – Gestion SODEC.

À Millie,
l'enfant de l'amour…
Gilles

À Biloup
Marie

Émilie
pleine de jouets

Texte : Gilles Tibo
Illustrations : Marie Lafrance

Dominique et compagnie

LA PETITE ÉMILIE n'était pas une enfant comme les autres.
Chaque fois qu'elle fermait puis ouvrait la main, un jouet apparaissait
dans le creux de sa paume. Il en tombait une balle, une
voiturette, un poisson qui semblaient avoir été sculptés à même
le chêne doré, l'érable blanc, le sapin roux…

Les parents d'Émilie, de pauvres pêcheurs, consultèrent
les anciens du village. Personne n'avait jamais entendu parler
d'un pareil don. Il fut décidé, après une longue discussion,
de laisser la fillette vivre à sa guise.

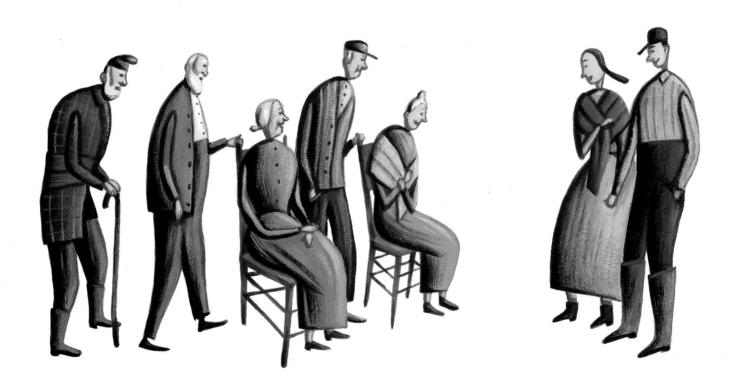

Dès lors, chaque soir, le père d'Émilie devait enlever
les jouets de la chambre de sa fille et les entasser dans la remise.
Lorsque la remise fut pleine, il les empila dans la grange.
Lorsque la grange fut pleine, il les abandonna sur la falaise.

Afin de ne pas être ensevelie sous les jouets, Émilie s'éloignait
chaque jour davantage de la maison. Pour la retrouver, ses parents
empruntaient la piste des objets de bois.

Ils la rejoignaient souvent de l'autre côté de l'anse, sur une plage
de galets, où elle érigeait d'innombrables châteaux.

D'autres fois, la piste dessinait un sentier qui menait
aux grands récifs. Émilie, debout sur un amoncellement
de jouets, nourrissait les oiseaux de passage.

Quand Émilie eut sept ans, ses parents organisèrent une grande fête.
On invita tous les habitants du village. Son père en profita
pour nettoyer la maison, la remise, la grange et la cour. Chaque invité
repartit les bras chargés de cadeaux.

On surnomma Émilie *la petite fille pleine de jouets*.

Le lendemain de son anniversaire, Émilie se rendit sur la falaise
pour contempler le ciel. Puis elle tourna le dos à la mer et emprunta
la route de sable qui menait à la ville. Elle visita les enfants de
l'hôpital et leur fit cadeau de poupées, d'oursons et de jouets de bois…

Émilie se rendit ensuite dans les hospices. Son rire
de petite fille bondissait sur les murs tristes.
Elle joua avec les pensionnaires et leur offrit des présents
qui emplirent de joie leurs vieux cœurs d'enfants.

Émilie parcourut les villes et les campagnes en ouvrant
les mains au-dessus des réserves de bois de chauffage. Ainsi,
durant les nuits glaciales de l'hiver, les habitants de
la région se réchauffèrent en brûlant des milliers de jouets
dans les poêles, les fours et les foyers.

Et puis, un soir d'orage et de bourrasque, les pêcheurs revinrent
au port en catastrophe. Le père d'Émilie manquait à l'appel.

Plusieurs marins partirent à sa recherche. Mais bientôt l'obscurité,
la pluie et les vents furieux découragèrent les plus audacieux.

Voyant sa mère pleurer, Émilie courut jusqu'au bord de la falaise. Le cœur battant, les yeux fixés sur les vagues qui fouettaient les récifs, elle leva les bras. Elle ferma puis ouvrit les mains plus vite qu'elle ne l'avait jamais fait auparavant. Une multitude de jouets s'agglutinèrent sur l'eau noire.

Malgré sa peur, Émilie sauta sur cet étrange radeau de bois.

À l'aurore, elle avait déjà quitté les limites de la baie.
Comme une figure de proue, elle s'avançait dans la mer déchaînée
en scrutant l'horizon qui ne laissait rien paraître.

Au crépuscule, Émilie redoubla d'ardeur. Les mains
rougies par l'effort, elle laissa tomber, encore et encore,
des millions de jouets dans les eaux déchaînées.

Soudain, le petit cœur d'Émilie devint aussi gros que
l'océan. À cent lieues des côtes, elle aperçut enfin son père
qui l'attendait, les bras levés vers le ciel orageux.

Main dans la main, Émilie et son papa prirent le chemin du retour.
Au village, on organisa une grande fête pour célébrer cet incroyable sauvetage.
On dansa et on festoya toute la nuit.

Pendant ce temps, Émilie, à l'écart, regardait ses paumes se transformer.

Le lendemain de la fête, le don d'Émilie avait disparu…
Il ne tomba plus jamais de jouets de ses mains.

Elle en profita pour caresser les chats, les chiens, les
oiseaux, les cheveux des enfants, le front des vieillards,
et tout ce que la vie lui offrait.

On surnomma Émilie *la petite fille pleine d'amour.*